숲이 시들어 갈 때

숲이 시들어 갈 때

발 행 | 2024년 7월 31일
저 자 | 류승환
펴낸이 | 한건희
펴낸곳 | 주식회사 부크크
출판사등록 | 2014.07.15(제2014-16호)
주 소 | 서울특별시 금천구 가산디지털1로 119 SK트윈타워 A동 305호
전 화 | 1670-8316
이메일 | info@bookk.co.kr

ISBN | 979-11-410-9895-7

www.bookk.co.kr
ⓒ 류승환 2024

숲이
시들어
갈 때

류
승
환

지
음

차
례

4장 사랑 48

5장 희망 79

작가의 말 99

프롤로그

상처와 우울은 남들에게 말하기에는 잦았고
이해받기도 어려울 만큼 깊었어요.

설명하기에는 복잡한 각자의 사연,
힘듦을 소리칠 바의 글에 쏟았습니다.

아직 해결된 것은 아니지만,
괜찮을 거라는 희망을 품습니다.

보잘것없는 이 글도 누군가에게
위로와 공감이 되는 것을 봅니다.

어쩌면 가치 없다 여긴 스스로가
누군가에게 가장 큰 별일지도 모르지요.

이 책을 펼친 그대가 나의 별입니다.
그대가 곁에 있기에 내일을 보았어요.

그대가 친구라, 독자라, 아끼는 인연이라
지금의 나를, 앞으로의 내일을 적었습니다.

슬픔은 잠들어
그대에게만큼은 가장 늦게 뻗기를.

잠들지 않는 새벽
부디 당신은 평온하길.

공 허

숲이 시들어 갈 때

나무가 쓰러진다
하나둘, 꽤 여럿이

그중 몇은 이른 나이에
그중 몇은 꽤 버티다
그중 몇몇은 기다려온 듯

나무는 오랜 폭풍을 이겨냈었고
나무는 오랜 가뭄도 이겨냈었고
버티다 버티다 혼자가 외로워 숲을 만들다가

한순간 달려오는 저 얇은 톱니에
저항도 못하고 처참히 쓰러진다

솜 사 탕

곱게 만든 솜사탕
한 움큼을 뜯어
입가에 포개본다

달고 포근한 맛이었던가
찰나가 너무하도록 스친다

사라지는 건 아쉬우니
다음에는 먹지 말아야지

바다

단단한 바다처럼
넓은 마음을 지니기

매서운 돌풍 익숙한 듯
파도치더라도 잠잠히

친절한 바다처럼
깊은 배려 닮아

돌 던져도 익숙한 듯
첨벙첨벙 아픔 감추기

어제 맑은 하늘

습한 여름밤 담배 입에 물곤
방 안 가득 식은 한숨 내쉰다

어제의 맑은 하늘은
늦은 새벽 돼서야
서럽게 울어댔다

참았던 분을 토해내듯

어제의 맑은 하늘은
비 내리는 지금
가장 잘 보였다

모두 잠들어 듣지 않을 때가 되어서야

아마 내일 거리를 채운 하늘의 눈물 자국은
귀찮다는 듯 모두가 밟고 지나가겠지

눈물 흘리는 하늘 따위 다들 귀찮아하니까
하늘도 눈치를 보며 새벽을 적셨겠지

하늘이 게워져 맑은 하늘이 되어도
난 웃지 못할 거야 기쁘지 못할 거야

먹구름

비 내리는 밤
짙은 회색빛 구름

쓸쓸히 울다 사라지는 구름
가슴이 먹먹해지는 슬픈 구름

갈망

노을 지는 게 질린 하늘
셈을 할 수 없는 지긋지긋한 일상

웃음이 의미가 있을까
쌓이는 불행에 비친 모습이

언제부터 밉상인지
웃는 것조차 가식적이네

울음이 나올까
구석으로 도망쳐선

그리움을 떠올리니
흐르는 데일 듯한 붉은 눈물

징그럽게 꿈틀대며
피어난 감정을 품어

키워온 꿈을 짓밟고 올라서서

날아보자 날아보자 소리치며
남긴 자국이 썩어 냄새날까

아무도 모르는 산에 올라
접힌 날개 펼쳐 날아보겠네

생의 대해서

덮던 이불이 바닥에 떨어진 건
잠들었을 때 내 삶이 보기 흉해 쉼을
걷어찼는지요

"아프지 말고 건강하라"
자식 걱정뿐인 나의 부모는 어디 갔는지요

부지런히 살라며
뒤처지지 말라며

옭아매는 말만 남기곤
이 거리에 두고 가셨는지요

길을 나서도 누구 하나
다친 내가 불쌍하지도 않은지

눈길조차 주기에는
매일이 이미 지쳤는지

초점 없이 허공을 바라보며
한숨을 쉬어댑니다

수명을 다한 시든 표정, 더는 뛰지 않는 가슴은
한가로이 여유를 즐기며 살기에는 부족한가요

표정을 바꾸기 위해
찢긴 얼굴을 덧칠하고 덧칠하면
웃는 것은 자연스러워 지나요

꿈 꾸는 것은 사치가 되었나요
영원한 사랑은 없는 건가요
언제쯤 미소가 돌아올까요
과거를 놓고 살아갈 수 있는 걸까요

기도를 듣는 당신이 매일 부르는 노래가
닫혀 열릴 기미조차 없는 제 귀를 열어줄까요

숨은 왜 이리도 무겁게 쉬어지나요
나의 일상은 벗어날 수 있는 건가요

나의 생은 이리 반복되나요
어떤 생을 살아야 하나요

꿈

지친 꿈을 등에 메고
무거운 연필은 부모 등에 기대어

세상이라는 전쟁 속
부서지는 잿빛 조각상들

한 걸음 한 걸음 걷다
이유 모른 채 싸우다 지쳤네

이 바람도 먼지도 나를 기억했으려나
쓰디쓴 숨을 마셔보았네

봄과 겨울

내리는 눈이
봄날 따스한
벗꽃을 닮았더라면

걷고 있는 사람들이
조금은 하늘을
올려다보았으려나

겨울이 지나 봄이 되어
매섭게 내리는 눈들 포근할 때

햇빛이 비치는 창틀에 앉아
미소를 머금고 살아간다면

나는 그제야 웃음 피우려나

뱉은 말

뱉은 말을 후회한다
상처 주는 말들은
누구를 위했던 걸까

힘들어 봤다며 말하는 건
공감이 아닌 위선이겠지

나는 사람을 다치게 하나 봐
모두를 위해 혼자 남아야 하나 봐

이름

몸은 정욕을 따랐습니다
셀 수 없이 여자를 탐하고
고픈 배를 채우며 남을 해쳤기에
욕심이라는 이름을 새겼습니다

마음은 선택을 따랐습니다
거짓을 진실이라 믿고 지금을 팔아 나중을
샀더니
시간은 돈이 되었고 추억은 값이 올랐습니다
세월이라는 이름을 새겼습니다

지금은 과거를 따랐습니다
웃음을 버리니 기쁨을 잊었고
울음을 그치니 감정이 숨어버렸습니다
불쌍하여 이름을 새기지 못했습니다

탄생은 죽음을 따랐습니다
삶이라는 이름을 새겼습니다

멸 망

옷을 벗은 나무와 차갑게 식은 선풍기는
죽은 계절을 애도하며 하얀 이불로 덮였다

사랑은 추운 날 찾아와 몸을 데울 때쯤 지나갔고
버려진 게 서글퍼 찾지 못하는 곳에 숨은 봄은
성을 내며 뜨겁게 세상을 내리쬐다 죽어버렸다

푸른 숲은 눈물을 훔치지 못했다
슬퍼하기보다는 허탈한 표정을 지었고
기다림은 점차 지쳐갔었는지
희미하게 잡고 있던 잎에 힘을 풀어 내려놓았다

하늘은 색을 잃었고 장마는 돌아오지 않았다
누울 곳을 찾은 세상은 이제야 뜀을 멈추곤
조용하게 아주 고요한 곳에서 눈을 감았다

마음가짐

간혀 살다 자유를 바라며 나와보니
그래도 굶지는 않았었는데 하며 돌아가기

자신을 비교하며 자책과 위로하다
일해야지 돈이라도 벌어야지
웃어야지 이딴 회사 나와야지

가져도 잃은 것을 보며
살아가기 어렵기만 한 세상살이

현명하게 살아야겠다며 공부해도
풀지 못할 문제들만 산더미

노력해도 재능을 가져도 돈이 많아도
가난하긴 매한가지

자 랑

자랑거리가 된다는 것은
그만큼 기대한다는 것이라
누군가에게 나에 대해 말할 때
꼭 알아줬으면 좋겠다

얼마나 초라한 사람인지를

씁쓸한 하루

문득 생각 한다

남을 보며 나의 기준으로 상대를 평가하거나
그걸 거라 단정 짓는 행동들이 얼마나
무례한지를

남들 앞에선 "나는 그렇지 않아." 말하지만
살면서 한 번도 누구를 미워하지 않을 수 있을까

모두 그럴 것만 같아 씁쓸한 하루다.

행복 쫓기

나는 나의 행복을 갖기보다
불행을 막는 게 급했다

외로움이 싫어
사람을 가까이 했고

무시받기 싫어
돈을 쫓아갔다

하루 이틀은 나이만큼 쌓이더니
마음에 골을 만들어 병나게 하더라

불행이 사라지면 그게 행복인 줄 알았건만,

공허하게 또, 쓸쓸하게
척만 늘게 되겠구나

머리카락

거울 앞 예쁘게 서서
머리칼 정돈합니다

고민은 가닥이 되어
꽤 풍성하게 있는 것이

지나 잘려나간 시간만큼은
기억하지 못하려나 봅니다

달을 따라서

깊은 새벽도 재우지 못한 고민
짙은 상처에도 웃어야 했던 강박

시간이 해결하기에는 느릿했고
공감을 바라기에는 혼자였네

이리 아픈데 행복해 보인다니
아직 힘든데 고생했다라니

모난 말 박혀 붉은 손목 대신 운다
실망 섞인 눈, 귀를 막고 조롱한다

아프다 말하는 것도 상처가 된다면
이리 사는 것도 민폐가 될 테니

죽은 신

어두운 시절

어둠을 지날 때에
광야를 걸을 때에

당신이 나를 지켜줄 거라고
당신이 곁에 머물 것이라고

하늘에서 새가 날아오기를
바위에서 샘이 솟아나기를

바라지 아니하옵니다
기도하지 아니하옵니다

해가 지면 나의 그림자도 나를 버릴 것이니

견디어 보겠나이다
강해져 보겠나이다

유다의 죄

아비의 사랑은
자식을 안아줄 수 있는가

하루를 견뎌내면 덜 굶주릴 줄 알았던 자식은
아비를 알아보지 못해 죽어서도 고통에
달궈지는가

왜 신은 입과 귀를 갈라버렸는가
삼켜 썩기를 위했는가
뱉어 썩히기를 바랐는가

솔직함은 죄가 되었나
신의 시험은 뜻이 있었는가

악마의 선행은 더러운 것인가
무엇이 천사의 날개를 뜯게 했는가

이웃을 네 몸과 같이 사랑하라던 신의 말은
헐값에 팔려 십자가에서 죽임당했나

제자는 실망했던가
구원을 위함이었나

신음

하늘의 신이시여
모든 이의 아버지시여
나의 기도를 들으소서

당신이 나에게 내리신 이 벌을
내가 감당하기에 너무 큰 짐이옵니다

나의 육신이 모태로부터
나지 않은 게 나을 뻔했나이다
나의 영이 당신께 지은 바
되지 않는 게 좋을 뻔했나이다

나을 지으심이여 나를 만드심이여
나를 이끌지 마시고
당신의 암담한 손으로 거두소서

저 원수가 날이 선 칼날같이 다가옵니다
사자의 울음소리가 나를 삼키려 합니다

그러니 나에게 무슨 감격이 있으리오
나의 마음이 어찌 가벼우리까

나의 영이 비명과 애통으로
매일 밤을 지새웁니다
해가 뜨고 지는 모든 시간이
나에게는 헛된 시간이옵니다

혹여나 혹여나

나의 애처로운 목소리가 당신에게 닿는다면
나의 캄캄한 앞날을 조금이라도 아신다면

궁휼하신 당신의 넓은 마음으로
나의 숨을 거두시고
공연한 나의 삶을
한적한 지천에 버리시오며

무능한 내가 아니라
유능한 저들을 들어 쓰시기를

작디작은 죄인이 주께 아뢰옵니다

자살기도

주여, 계획을 알려주옵소서

주께서 원하는 것이
내가 원하는 것과 같나이까

주의 희생이 나의 죄를 씻어주나이까
아직 지은 죄를 용서받지 못하였는데
주께서 어찌 나를 용서하나이까

상처 준 이를 벌하는 여호와여
스스로 상처 준 이는 어찌합니까

삶 자체로 벌을 받는 이들은
주를 모르기에 죽어서도 고통받나이까

주여, 삶을 주께 드렸더니
주의 사랑으로 차지 못하고
허망합니다 한스럽습니다

주의 능력을 드러내옵소서
거두소서, 나를 거두소서

메리 크리스마스

예수가 태어났다

백성은 일어나 구주를 맞이했고
교회는 일어나 찬양했다

처녀의 뱃속에서 나온 저 기이한 생명체가
자신을 구원할 것이라 자위하고 있었다

선 한 악 마

나의 선의가 그에게
불행이 되었다면

나는 악이 되는가

만약 악마가 내게 준 게
행복이라면 선이었다면

그 악마는 내게
선이 되는가

무지개

잔인하시기도 하여라

폭풍우가 지나고 나서
잃은 것이 이리 가득한데

하늘에는 무지개가 꽃처럼 피었다지

가족

왜 몰라줘요

가난한 사람에 마음은 풍요로운가요

돈이 그리 중요하지 않다는 말과
돈이 없으면 불행할 거라는 말 중
나는 무엇도 믿지 못하겠습니다

가난한 가족 부유한 가족 중
행복은 어디에나 있을 수 있다던데

덜 가난했습니까 노력이 부족했습니까
행복을 여기서 찾을 수는 없습니까

답 구할 어른은 부모인가요
부모가 어리면 어디에 어리광 피울까요

조금 다친 걸로 보여도 으스러진 걸 수 있잖아요
왜 몰라줘요 열심히 하는데 왜 몰라줘요

웃는 게 노력이라는 걸
괜찮다고 할 수 있다고
나를 사랑한다고 말하는 게
당신을 사랑하고 있다고 말하는 게
그렇게 믿고 싶은걸 왜 몰라줘요

추운 여름, 더운 겨울

말라비틀어진 나무가 추울까
옷을 입혀준 다정한 그대가

이제는 아니라고 괜찮다며
손사래 치는 어린아이에게

돌아보고 한 번 더 다가와
다정히 안아주었더라면
겨울날 차게 식은 나의 방이
조금은 따스하지 않았으려나

쌓인 눈이 녹을 때쯤 옷을 입히지 않았더라면
바닥이 미끄러울 때쯤 끼니를 챙겨주셨더라면

당신에 바람대로
추운 아이를 안아줄 수 있는
따뜻한 어른이 되었을 텐데

집

이제는 어색한 눈빛과 전하지 못한 말들
다물어진 입과 초점이 흐릿한 시선 사이에
사랑은 무엇이었는지 보살핌이 무엇이었는지

잃었는지 잊었는지 고민하다 또 멀어질까
말하지 못하게 입술을 씹어 삼켰다

근심에 빠진 아비의 말이 매섭게 찌르기에
여태 모은 가시를 모아 귓가에 하나씩 넣으면

피가 굳어 막혀버린 귀는 듣지 못할 거야
이제는 평화로이 잘 수 있을 거야

담을 수 없는 말들과 걷잡을 수 없는 시간은
고스란히 상처에 담아놓고

대화를 바라기엔 잠이 고픈 아이는
고요하길 바라며 차가운 바닥에 누워
마음을 걸어 잠그곤

겨울에 벚꽃이 피어나길
겨울에 벚꽃이 활짝 피어나길

다녀왔습니다

하루가 끝나면 옥상에 올라와
곧 떨어질 듯 걸터앉아 담배를 물곤
꼭대기 층 우리 집 불 꺼지기를 기다리다
조용히 들어와 바라보는

널브러진 술판, 잠든 부모님

어머니께

어머니 저는 지쳤나 봅니다

사랑은 떠났고 세상은 아직 무섭습니다

내게 집은 쉴 곳이 아니었기에
거리를 떠돌았으며

기대를 저버리기 싫기에
노력하고 무너졌습니다

한심한 자식이 되기 싫었기에
늘 바쁘게 지냈고

짐이 되는 것이 싫어
그저 열심히 돈을 벌었습니다

나의 힘듦은 당신의 세월에 비하면
한없이 작았기에 입을 다물고 견디니
마음이 곪아 낙담하며 살아갑니다

나는 나로 살고 싶었으나 지으신 이름에 묻혀
무엇을 하고 싶었던가 잊었나 봅니다

어머니 저는 지쳤나 봅니다

아이는 모두 어른이 된다

의문을 품지만 답을 바라지 않게 된다
꿈꾸던 세상은 실망스럽게 좁아터졌고
사랑을 고파하던 어린아이는 성인이 되자
돌봄을 버려 어른이 될 수 있었다

조각조각 나누어진 꿈을 주워 맞춰보지만
형태를 잃어 그나마 남은 가여운 꿈을 끌어안아
찔리고 아파하다 놓아주었다

멀어지는 꿈들과 다가온 현실 사이
아는 척 위로하다 이용하는 들짐승들
동화를 죽인 예술인과 그의 가족들
시들시들한 하늘과 자식 둔 자의 한숨

남고 쌓인 공허함과 허망
어른을 바라보는 아이는
세 살 적 버릇을 잘못 들였나 보다

그러지 말지

엄마는 내가 태어날 걸
알고 계셨을까

내가 없었다면
누나 더 챙기셨겠지

일찍이 내가 생겨났을 때
포기했으면

조금 덜 울었겠다
아빠 웃음 생기셨겠다

미안해 엄마
나 같은 게 태어나버려서

비 교

아주 간단한 일이야

그냥 나는 못난 자식인 거고
그냥 계속 잘해야 하는 거고
그냥 어떻게든 인정받기는 글렀으니까

받아들여야지
실패한 인생이라고

가족

가까운 사람이 가장 큰 상처를 주더라
근데 태어날 때부터 봐왔던 내 편이
그런 모진 말을 뱉으면 어떡해

정말 혼자 남은 것만 같잖아

사 랑

겨울바람

시린 손끝으로 당신을 어루만지곤
나지막이 내뱉으려던 말을 끝끝내 참아냈다

왜 그리도 서로를 따듯하게 안지 못했을까
마주 앉은 우리는 알지 못한다

사랑하느냐 묻는 당신에게 답을 드리자면
사랑을 처음 만져본 난
그대를 품기에는 너무 차가워

마음을 전하는 것으로 찬란한 우리가 깨질까
따듯했던 당신 품을 뿌리쳤습니다

다정 섞인 붉은 홍조를 차디찬 바람에 담아
어리석은 나를 찾아주신다면

얼어붙은 싹을 틔워 밝은 꽃을 피워볼 테니
그때는 따스히 당신을 안아줄 수 있길

녹아내릴 수 있길

북두칠성

나의 별은 북두칠성과 닮아서
어느 날 어디서나 밝게 빛나준다면

나의 별은 북두칠성과 닮아서
어느 순간 어떤 어둠에도 빛나리라

별만 찾으면 어느 길이든 담대할 터이니
나 너와 영원을 꿈꿔

도포 조각 침대맡에 뉘어두리라

얼어붙은 여름바다

햇빛이 뜨겁게 내리던 여름
바다를 떠다니며 달궈진 몸을 맡기면
더위에 지친 몸을 감싸주던 나의 바다여

당신을 기다렸었소 그대를 하루도 잊지 않았소

세월이 흘러버려
추워진 하늘에 당신을 그리워하나
너무 차게 식은 말들로 나를 밀어내시네

아아, 내 얼어버린 여름 바다여
마지막으로 한 번만 헤엄치게 해준다면
지금쯤 7월일 텐데

돌멩이

보석은 원석을 깎아 만든다던데
못난 모습도 예쁨 받길 바라는 건
너무 큰 욕심이려나

알리움에게

아파하는 날 닮은 꽃을 꺾으러
기나긴 숲 속을 헤집고선

달빛조차 비추어 주지 못한
바위 위에 가녀린 꽃을 보곤

꺾지 못하고 곁에 앉아
이리 예쁜 꽃이었나 한참 마주했다

찾아온 나를 기다려왔으려나
날 반겨오는 그 알리움에게

내 우울을 적셔
가장 밝은 곳에서
향기를 피우며

빛이 드는 곳에 피어나자
불안과 우울을 사랑하자
마주 보고 누워 귓가에 속삭였다

검은 장미

사랑하고 매일 바라보았다
너의 색을 사랑했다

듣지 않았기에,
듣지 못하는 말들이기에
바라보았으나 사랑했으려나

너의 말을 들을 수 있다면
그때 너는 사랑을 속삭이려나
계속 만지며 바라봤던 나를 혐오했을까

마음을 알지 못하기에
사랑한 나를 원망하며

바라보는 것 같은
예쁜 너를 등지고

잠에 들어본다

빈 액자

조각을 모아 그려진 퍼즐 그림
무척 마음에 들어 내방에 누워
가장 잘 보이는 곳에 걸었다

매일 보았는데 오늘따라
보기 싫은 그림이 있어
그려진 퍼즐 몇 개를 떼어냈다

두어 달쯤 지났으려나
많았던 퍼즐은 없고
쓸쓸히 남은 빈 액자

작년 겨울

하늘이 추위에 찔려 하얀 눈을 흘린다
흐릿하게 자작나무 향이 났다

눈이 내리면 얼어붙은 시선은 하늘을 향했고
추운 몸은 나가지를 못하니 집안에서 녹였다

주름이 쭈글쭈글해진
늙은 부모는 걱정이 많은지
삭막한 집안에서는 밖에 눈이 많이 내린다며
한두 마디씩 집을 채운다

젊은 자매는 얼어 죽어도 좋으니
눈을 맞으러 밖을 나갔다

작년과 같았다면 난 너를 찾았겠지

함께 잠들던 파란 이불 안에 누워
언제 올지 모를 널 기다리며

춥지는 않았느냐며
살포시 떨어지는 눈이
아름답지 않냐며

시답지 않은 대화 하며 창밖을 바라볼 텐데

파리의 사랑

달콤한 향을 찾아 세상을 떠돌았다
그 향은 가까이서 맡으면 너무나 향기로워
정신을 잃을 것만 같았다

다른 향은 싫었다
내가 맡았었던 그 향이 아니면
남들이 아무리 좋다고 해도
맡지도 찾지도 않았다

향을 쫓다 보니 아름다운 너를 찾았다
평생을 기다려왔다 다시 만나기를

너의 옆에 앉았더니 한눈에 나를 알아보곤
있는 힘껏 손을 뻗으며 내게 말해주었다

" 잡 았 다!"

모르는 척

만약 사랑했더라면 사랑을 먼저 말해주었겠지
보고 싶었다면 네 앞에 서 있었을 테고
궁금했다면 오늘이 어땠을지 물었겠지

곧 내다 버려질 강아지 간식 주듯
죄책감 덜어내려 하지 말았으면

망설이는 이유

내게 그리도 향기롭게 피어나 있더래
순간을 위해 평생을 놓을 만큼 아찔하더래

나는 나비가 꽃 주변에 맴돌 듯
너를 보고 있었는데
너는 쓰레기 위 파리 보듯 나를 보더래

뭔가 잘못됐나 봐 너에게 날아오르면
너도 같이 날아가 버릴 것만 같은 게

매듭달

달을 향해 달렸드랬지
깨진 조각도 별이 될 거라며
달을 향해 쉼 없이 달렸드랬지

달은 해를 바라보며
그리 빛나고 싶었드랬지

난 너를 빛내줄 별 되어
반짝 곁을 품고 싶었드랬지

난 그렇게 말 많은 달 밑에서
끝내 하려던 말을 삼켰드랬지

사 랑

늘 사 랑 을 바 랐 던 이 유 는
어 쩌 면 나 를 사 랑 하 지 못 해 서
너 라 도 사 랑 하 기 를 바 랐 었 나 봐

휘파람

보고 싶네,
너를 잊을 누군가를 찾다가
포기하고 방 안에 앉아있어

산책을 하면서
휘파람을 불며 홀로 걷곤 해
새어 나온 웃음을 도로 머금곤
휘파람을 불며 걷곤 해

시간이 참 많이 흘렀어
건너 들은 너의 소식은
듣기가 싫어 귀를 닫고
시간이랑 같이 흘려보냈어

눈꽃도 네가 없는 게 서운하다며
기웃거리다 너랑 눕던 곳에 가득히 자고 있어
벚꽃이랑 놀던 게 질투 났었나 봐

베개를 베고 누우면 널 볼 수 있지만
향은 나지를 않네 자주 맡아볼걸

휘파람을 부르면 이름보다 빨리 달려왔었지
계속 부는 게 습관 됐나 봐 고쳐지지가 않네

있잖아, 나는

네가 유난히 보고 싶을 때
들어버린 소식을 믿기 싫었을 때
사랑을 살랑이던 게 그리울 때
향기로운 너의 향기가 맡고 싶을 때

벚꽃에 얼어붙은 너를 떠올리며
근처 공원을 떠돌까 급히 간식을 챙기곤

휘파람을 불면서 걷곤 해
터질듯한 울음을 끝내 내뱉으며
휘파람을 불며 홀로 걷곤 해

젓가락

젓가락 짝 맞추기 귀찮아서
아무 젓가락이나 막 쓰면
써지긴 써지겠지

내가 정말 두려운 건
써지기는 써지니까
지금 내 짝이 맞는지
모를 거라는 얘기야

기다리는 곳

질퍽하게 흐르는 시간
먼저 도착해 아리따운 고민에 빠진 나는

당신이 걸친 옷과 함께할 식사 자리
당신과 웃고 떠들 순간들을

기다립니다 기대합니다

가로등이 수줍게 살랑입니다
세상이 사랑스럽게 웃습니다

멀리서 웃으며 걸어올 당신을
언제 왔느냐며 미안함 품은 다정을

기대합니다 기다립니다

결혼

언젠가 시간이 흘러 내가 보인다면
그때는 늘 함께이기를

홍조가 사라지고 예뻤던 청춘을 그리워할 때
주름진 그대의 손을 쓰다듬으며
그때 그러지 않았느냐며 우스운 농담을 던지며

춥지 않게, 쓸쓸하지 않게
끝내길 바랐던 생을 서로 껴안아
차곡차곡 살아가기를

너가 아니라서

아주 예쁜 사랑을 했어
그게 사랑을 포기하게 해
그만큼 아름답지 못할 테니까.

보고 싶어라

아무것도 모른다는 표정
기다란 혓바닥을 내밀고선
"난 네가 좋아."라는 듯

구름 사이 떠 있는 무지개가
너를 찾게 하는 낮

노을 지는 한강 위 걷는 내가
유난히 어색해지던 날

황갈색 옷 요염한 자태 뽐내며
뭐든 솔직한 네가 그리운 밤

치 사 한 당 신

치 사 하 다 너
필 요 할 때 는 날 찾 더 니
넘 칠 만 큼 사 랑 주 니 까
미 련 없 이 돌 아 서 냐

난 그 런 네 가 좋 아 서
그 사 랑 이 라 도 받 고 싶 어
언 제 든 네 가 다 시 오 면
더 넘 칠 만 큼 사 랑 해 줄 게

엇갈림

버렸다 생각했는데

건네시던 선물만큼
당신의 사랑은 자주였고

나는 그 진심을 잊을 만큼 무심했더군요

내가 조금 더 소중히 대했더라면
당신이 조금 덜 진심이었더라면

같이 행복했을까요
내일이 반가웠을까요

나의 부재는 잔인이겠지요
부디 아프지 않기를
하늘에 빌어보겠습니다

패자

사랑이 모두 이겼다

불행도 우울도

사랑이 이겼다
주는 아픔에 난 또 졌고.

믿음

신뢰로 뱉은 말들은
약점이 되어 돌아와요

당신에 달콤한 말들은
믿음을 받기에 충분했고

어리석고 여린 나는
버림받기에 당연했군요

불행은 가까워 괜찮았는데
불행을 주는 게 당신이라
비참하고 비참합니다

떠나던 밤

얕은 감정 외로움 달래도 좋으니
곁에 있어달라던 그대

그 감정이 애써 사랑이 아닐 거라며
아파하려던 그대를 놓지 못하였소

오늘은 별도 숨어 하늘도 어두운 게
어쩌면 그대 낯이 이리 어두웠을까 하여

사랑을 삼키게 한 나 자신이
부끄럽고 한스러워 곁을 떠나리이다

이 지독한 외사랑을 끝내리이다

꽃

싹을 틔우고
꽃이 피는 것을
바라본다

그 꽃이 시들 때
다시 피길 바라는
마음이었다

안심

마음에 바다를 품으니
물고기가 헤엄하더라

그 모습이 무척이나 어여뻐
가만히 바라만 보았더니

돌연 불안이 피어나
썩고 물이 탁해지더라

착각했다 내가 바다라고

소 라 껍 데 기

소 라 껍 데 기 는 바 다 를 품 어
다 가 가 면 바 다 를 속 삭 인 다 지

나 는 살 며 너 를 품 었 으 니
내 게 다 가 온 다 면 사 랑 을 속 삭 일 게

혼인날

세상이 물든다
작은 소녀로 물들었다

홀로 걸어온 그대 길이
꽃길 되진 않겠지만

같이 걷는 길에 서로를 피워
어여쁜 길을 함께 걷기를

당신은 내가 그려온 우주
별 이자 살아감의 이유

예쁜 이야기만 속삭이길
그렇게 살아갈 수 있길

희망

여름이 왔나 봐요

여름이 와요
파아란 하늘 시원하고
잘 익은 바다 떠다니는 오리 배

포옹하는 바람 스치는 그늘들
벗은 나무 다시 옷 입고
푸르른 잎 하늘 대신 팔랑거리는 게

여름인가 봐요
얼마 전 쌀쌀했던 나도
이제는 시원시원한

여름이 왔나 봐요

그렇게 들려서

죽고 싶다는 말도
살려달라는 말처럼 들려서

괜찮다는 말도
힘들었다는 말처럼 들려서

자주 웃는 네가
너무 많이 울었을 것만 같아서

바다 시민

부디 당신이 고래처럼
자유로운 헤엄을 치시기를

어느 곳에도 묶여 있지 않고
자신의 모험을 즐길 줄 알며

당신의 짝을 찾아
갈망하는 대로 이루시기를

타인의 말이 아니라 넓디넓은 그림자로
당신을 드러내시길

누구보다 자신을 신뢰하되
타인을 잃지 않는 지혜로운 그대이기를

상황과 환경을 탓하지 말고
운명이 이끄는 대로 헤엄치시길

가는 곳마다 복과
평안히 함께하기를

밝은 햇빛이 당신을 비추시며
고요한 달빛이 당신을 비추시길

행여 적적한 하늘이 당신을 덮을지라도
당신의 고집이 앞길을 활짝 열 것을 기대하시길

느긋하되 뒤처지지 말며
서두르되 앞서 가지 말고

아름다운 당신이 아낌없는 사랑으로
푸른 세상에서 마음껏 헤엄하길

그런 힘찬 그대가 되시기를

생일 축하해

그 미소를 보니
청춘 가졌던 예쁜 여인
순간 찬란했던 의젓한 청년
세상 만끽했을 아름다운 순간을

진심으로 공감한다

행복이 너에게

좋은 날이 올 거라고 믿어요
언젠가 예상하지 못하게 불쑥
당신을 찾을 거예요

나는 어여쁜 미소와 함께
노력을 모아온 당신을 품을 겁니다

지저분한 불행을 내쫓고
견디고 참아 약해진 마음을
다시 강해지게 곁에 있을 거예요

당신은 지겨운 불행이 곁에 피어나도
아무리 괴롭히고 짓밟힌대도
반드시 솟아오를 올곧은 폭죽꽃

언제 올지 모르는 행복을 반겨주세요
나는 좋은 날에 당신을 찾아갈게요

선물 같은 날

기념일에 주는 선물보다
갑작스레 받는 선물이 다정한 거 같아

"너 생각나서 샀어."라는 말이
받는 선물보다 반가워

아무 의미 없던 날이 특별해지잖아

그런 사람

물음을 물음으로
답하는 사람이 좋다

머무른 순간보다
헤어짐이 아쉬운 사람이 좋다

계산적이기 보다
정이 많은 사람이 좋다

부러움보단
박수 쳐주는 사람이 좋다

바라기보다
해주는 사람이 좋다

급한 사람보다
느긋한 사람이 좋다

강한 사람보다
나약해질 수 있는 사람이 좋다

그런 사람
되고 싶다

정류장

고요한 버스
소리치는 기사님
우르르 타는 학생들

소란스러워진 버스 속
청춘 돼가려는 젊음 듣는다

친구와의 대화가 즐거웠던
순간에 설렘 커 보였던

어찌나 사랑스러운지
얼마나 예뻐 보이는지

어릴 적 날 보던
어른의 눈을 닮아간다

간절히 빌어본다 부디
행복하기를 덜 아파하기를

나무

숲을 보는 이는
나무를 보지 못할 거야

수많은 나무로 만들어진
무성하게 피어난 숲만을 보며

나무에게 숲이 돼보라고 말하겠지

나무는 홀로 피어나도
아름다울 텐데 말이지

비 행

이 새장 뚫고 날으리라
자유로이 저 푸른 하늘 헤엄쳐

푸른 바람 창문을 두드리는 날
기준과 관념 따위 땅에 두고
비웃었던 웃음소리 멀어질 만큼

나는 저 높이 날아가리라
모두가 보는 풍경보다 높은 곳으로

부푼 꿈과 자유를 위해
이 새장 뚫고 날아가리라

클로버

흔하게 잡초 옆에 피어난
수많은 클로버

뿌리도 가늘어서
잔디 틈을 파고들고
덩어리져서 성장한대

난 그게 네가 아닐까 싶어
커다란 불행에 지지 않고
그 사이에 피어난 클로버

너는 나의 세 잎 클로버

새 해 복

이 사람 저 사람
약속한 듯 복을 건넨다

잊었던 친구나 인연이
오래된 학우나 전 직장동료가

약속이라도 한 듯 복을 건넨다

사는 거 각자라지만
여전하구나 그 마음

올해도 잘 살아볼게
잘 버티고 자주 웃을게

부디 너도 행복하길
복 많이 받길

작은 응원

책과 담쌓던 당신
응원 섞인 장문 문자에

멈췄었던 손을
자책 대신 위로를

알까요 그대 존재가
책이 되기까지 큰 것을

잘 읽었다는 그 말들이
얼마나 큰 위로였던지

풀꽃

풀꽃도 다 이름이 있는 거라고
그저 풀이지만 어여쁜 꽃이라고
화려하지 않고 색이 초록이라지만
풀이 아닌 꽃이라고

달맞이 꽃

걸음이 뒤처진 듯
모두가 앞선다

세상이 빠른지
내가 느린지

가는 길 외로운지
불안이 스멀스멀

곁에 피어난
꽃이 답하길

달에 홀로 피는 꽃도
있지 않겠냐고

시간이 지나면

시간은 힘이 없지만
자란 당신은 강하다

지금을 꼭 지나 단단해져서
알려지지 않은 길 찾는 순간에

전보다 담대히 전보다 단단히
깊은 뿌리를 내려 폭풍을 견뎌내길

달님

달님 간곡히 빌어봅니다

저 소년이 포기하지 않게 짐을 들어주세요
저 소녀에 눈물이 멈출 수 있게 안아주세요

아픔이 있다면 나에게 주세요
절망이 있다면 나에게 주세요

밤은 춥지 않게 따스한 바람을
낮은 덥지 않게 시원한 바람을

달님 간곡히 기도합니다
저들이 행복하게 해주세요

숲이 피어날 때

무너진 숲을 보며 괜찮으려나 바라본다
숲은 의지가 꺾인 듯 푸른색을 잃어갔다

이파리는 시들어 풀썩 주저앉았고
짐승 따위가 집을 옮기듯 떠나갔다

많은 것을 품으려던 숲은
함께 했던 가족과 함께하려던 사랑을
놓쳐 후회하고 낙담했다

가족과 사랑은 숲은 괜찮을 거라며
쓰레기를 버리고 침을 뱉었다

공허한 숲이 되어 지천에 묶인 채
곁에 남은 유일한 신마저 죽이고 말았다

외로워진 숲은 그렇게 시들어 가려다
곁에 죽은 나무를 품더니 위안이 되었는지
피식하고 웃어버렸다

무너진 숲은 괜찮으리라
희망이 피어나리라

작
가
의

말

이 책은 나의 일기와 같아요.

어쩌면 짧게 설명하는
나의 삶이라 말할 수 있을 것 같네요.

나는 숲을 보고 살았습니다.
어른들이 어릴 적 해주시던 말씀처럼
나무가 아닌 숲을 보라 하시기에 숲을 보았습니다.

아주 먼 숲을 보며 살았습니다.
누군가에게 숲은 계획일 수도, 더 큰 투자일 수도
제가 잘 받아들인 것인지 모르겠으나,
당장보다는 훗날을 바라보라는 말씀 같았습니다.

어릴 적부터 보며 키워왔던 숲.
그 숲이 천천히 시드는 것을
바라보는 마음으로 쓴 글들입니다.

삶은 계획대로, 숲을 그린다고 하더라도
어쩌면 우리는 나무 한 그루 피워내기
어려운 삶을 살고 있을지 모르겠습니다.

우리가 우리의 계획처럼 살아가지는 못하겠지만,
설령 당신이 그린 숲이 시들게 된다 하더라도

한 그루 한 그루 심어가다 보면
시든 숲이 다시 피어나는 날이 반드시 오게 될
겁니다.

나는 숲보다는 나무 한 그루.

당장 앞에 있는 일들을 조금씩 피워내려고 합니다.
그것이 모인다면 그게 숲이 되지 않을까 하여
숲이 되기를 바라며 이 책을 한 그루 심어봅니다.

작가 류승환